SACRAMENTO PUBLIC LIBRARY
828 "I" STREET
SACRAMENTO, CA 95814
08/2021

D1603504

MAMA CHEVA
AND THE
DRAGON'S EGG
A Bilingual Prequel

Mama Cheva y el Huevo de Dragón

by F.M Barrera

Spanish Translation by Cielo Bellerose

Illustrations by F.M. Barrera

Copyright © 2021 Talisman Press

F.M Barrera
Mama Cheva and the Dragon's Egg
A Bilingual Prequel

"Mama Cheva y el Huevo de Dragón"
Spanish Translation by Cielo Bellerose

ISBN : 978-1-7363306-2-3

Illustrations by F.M. Barrera, created digitally,
with watercolors and colored pencil on watercolor board
Font: Minion Pro 14 pt.

All rights reserved. No part of this book may be used or reproduced in any manner whatsoever without written permission from the publisher. Printed in the United States of America.

Copyright © 2021 Talisman Press, F.M. Barrera

Once there was an old woman named Doña Cheva who lived in an adobe hut, high on the side of an extinct volcano. She was knowledgeable about many of the plants which grew nearby on the slopes of the mountain. She planted her own vegetable and herb garden to make recipes and remedies which had been passed down from her grandmother. She was a skilled curandera and her healing potions did many wonders for the villagers below. Sometimes she would climb down the mountainside into town to sell her extra vegetables and homemade remedies.

One day while working the garden behind her mountain home, she wandered near the cliffsides and discovered an opening to a cave. "I have never been inside this cave before," she thought. "I will explore it some more."

Había una vez una anciana llamada Doña Cheva que vivía en una casa de adobe, arriba, en el costado de un volcán extinto. Sabía mucho de las plantas que crecían cerca, en la pendiente de la montaña. Sembraba sus propios vegetales y hierbas para hacer recetas y remedios que habían sido transmitidos de su abuela. Era una curandera experta y sus pociones sanadoras hacían muchas maravillas por la gente del pueblo abajo. A veces, bajaba de la montaña para vender allí las verduras que le sobraban y también sus remedios caseros.

Un día cuando trabajaba en el jardín detrás de su casa en la montaña, exploró cerca del precipicio y descubrió la entrada a una cueva. "Nunca he entrado en esta cueva antes", pensó. "La exploraré un poco más".

The cave opened up into a cavern. Entering deeper into the darkness, she stumbled upon a nest of large brown eggs in a bed of grey ashes. Most of them were broken, but one remained intact, half-buried in the dust.

"Ahh, a nest full of eggs. I will take the good one and try to hatch it." Placing the egg gently in her sack, she brought it home where she kept it warm near the stove. "Let us see what you will become." At night she wrapped the egg in a blanket to keep it warm.

One day it hatched, revealing a small green baby lizard. Doña Cheva was startled, but curious. "My, you are a curious looking thing," she said. The creature chirped and stretched out its tiny wings. "A winged axolotl! Perhaps you are descended from the great feathered serpents my ancestors used to tame long ago. That was a time of legend and ancient gods."

La cueva dio paso a una caverna. Entrando a la oscuridad, se tropezó con un nido de grandes huevos morenos en una cama de cenizas gris. La mayoría de ellos estaban rotos, pero uno permanecía intacto, medio enterrado en el polvo.

—Ah, un nido lleno de huevos. Tomaré el bueno y trataré de sacarlo del cascarón —colocando el huevo cuidadosamente en su saco, lo llevó a casa donde lo mantuvo caliente cerca de la estufa de leña—. Veremos en qué te conviertes —en la noche, envolvió el huevo en una manta para mantenerlo cálido.

Un día, se rompió, revelando a un pequeño lagarto verde. Doña Cheva estaba sorprendida, pero curiosa. —Dios mío, eres una cosa rara —dijo. La criatura gorjeó y estrechó sus alitas—. ¡Un axolotl con alas! Quizás desciendes de las grandes serpientes emplumadas que mis ancestros solían domar hace mucho tiempo. Aquella era una época de leyendas y dioses antiguos.

She fed it fruits and vegetables from her garden, introducing them one at a time to see what it would eat. It spit out the mangoes and only sniffed the guavas. Next, she tried feeding it cooked beans picked fresh from her garden.

"Maybe you will like these frijolitos," she said. But it spit that out too. She then made salsa fresca with her tomatoes, onions and green chiles, feeding it a very small amount. The creature coughed and spit it out, while a streak of fire came shooting from its mouth.

"To hot for you mijo? I guess you really are a dragon. I do not want you to burn down my house. We will avoid the pico de gallo next time." Doña Cheva was flabbergasted. She had run out of food options and considered making some corn atole but changed her mind. "I know what I will make instead," she said. "Tortillas will be a good food to settle your acidic stomach."

Lo alimentó con frutas y verduras de su jardín, dándole uno a la vez para ver qué se comía. Escupió los mangos y solo olió las guavas. Después, intentó alimentarlo con frijoles cocidos recién recogidos de su jardín.

—Quizás te gustarán estos frijolitos —dijo. Pero escupió eso también. Después, ella hizo salsa fresca con sus tomates, cebollas y chiles verdes, dándole una porción muy pequeña. La criatura tosió y lo escupió, mientras una mecha de fuego salió disparada de su boca.

—¿Demasiado caliente para ti, mijo? Supongo que en serio eres un dragón. No quiero que me quemes la casa. Evitaremos el pico de gallo la próxima vez —Doña Cheva estaba asombrada. Se había quedado sin opciones de comida y consideró hacer atole de maíz, pero cambió de opinión—. Ya sé lo que haré —dijo—. Las tortillas serán una buena comida para mejorar tu acidez estomacal.

Doña Cheva went to work gathering the corn, grinding it into corn meal and making the soft dough. One by one she formed little balls which she flattened into round cakes and cooked them on her griddle. When she had made a dozen, she tried feeding them to her new pet. At first the baby dragon nibbled on them, but soon he had devoured an entire tortilla.

"Success!" yelled Doña Cheva. "I have found a food that you like and will eat. I want you to eat and grow up to be a big and strong winged serpent."

Doña Cheva taught him many things. She saw that there was a spark of intelligence in him so she tried to teach him how to talk. At first, he learned only a few words, but then he began to form whole sentences and even to read.

"You may call me Mama Cheva, for you are my mijo," she explained one day.

Doña Cheva se puso a trabajar recogiendo el maíz, moliéndolo hasta volverlo harina y haciendo la suave masa. Una por una, formó bolitas que aplanó en tortas redondas y las cocinó en su comal. Cuando había hecho una docena, intentó dárselas de comer a su nueva mascota. Al principio, el dragón bebé simplemente las picaba, pero pronto se devoró toda la tortilla.

—¡Éxito! —Gritó Doña Cheva—. Encontré comida que te gusta y comerás. Quiero que comas y crezcas para ser una serpiente grande con alas fuertes.

Doña Cheva le enseñó muchas cosas. Ella vio que había una chispa de inteligencia en él e intentó enseñarle a hablar. Al principio, aprendió solo unas pocas palabras, pero después comenzó a formar frases completas e incluso a leer.

—Puedes llamarme Mamá Cheva, pues eres mi hijo —le explicó ella un día.

hatched you and raised you from an egg. This is the truth."

"Yes, Mama Cheva," he replied.

"You know that you are a dragon and different from all other creatures. You are one of a kind and people may fear you. The world below is very troublesome, but if you stay here in our mountain home, you will remain very happy."

"One other thing, mijo. Near ashes you were born and to ashes you are bound, but you must learn to control your fire breath. If you feel the urge to make fire, then blow smoke instead. That way you don't burn anything down. And keep away from chiles."

The dragon grew fast and Mama Cheva taught him many things. He learned how to fly, which helped during the planting of the corn fields. He flew passes from above and dropped seeds into the soft earth below.

Te saqué del cascarón y te crie desde que eras un huevo. Esta es la verdad.

—Sí, Mamá Cheva —respondió él.

—Sabes que eres un dragón y eres diferente a las otras criaturas. Eres único en tu especie y muchos te pueden temer. El mundo allá abajo es muy problemático, pero si te quedas aquí en nuestra casa de la montaña, serás muy feliz.

—Otra cosa más, mijo. De la ceniza vienes y a las cenizas estás atado, sin embargo, debes aprender a controlar tu aliento de fuego. Si sientes la necesidad de hacer fuego, sopla humo en su lugar. De ese modo no vas a quemar nada. Y mantente lejos de los chiles.

El dragón creció rápido y Mama Cheva le enseñó muchas cosas. Aprendió cómo volar, lo que ayudó durante la siembra de los campos de maíz. Voló en círculos desde arriba y arrojó semillas hacia la suave tierra abajo.

She also taught him how to make tortillas from scratch so he could feed himself whenever he was hungry. Soon he was making the best tortillas Mama Cheva had ever tasted, even better than hers.

"You have made so many tortillas mijo, more than we can eat. I will go down into the village tomorrow to sell them."

"Can I go with you Mama Cheva?"

"No mijo. You must never reveal yourself to other people, for they will fear you. Stay here until I return."

Mama Cheva left for the village the next morning, with a load of fresh tortillas and a bag full of bottled potions to sell. Door to door she knocked, selling her food and offering samples to potential buyers. When she came to what looked like an old abandoned tortilla factory with a red-tiled roof, an elderly man opened the door.

Ella también le enseñó cómo hacer tortillas para poder alimentarse a sí mismo cuando tenga hambre. Pronto, él estaba haciendo las mejores tortillas que Mamá Cheva había probado, incluso mejores que las de ella.

—Has hecho muchísimas tortillas mijo, más de las que podemos comer. Bajaré mañana al pueblo para venderlas.

—¿Puedo ir contigo, Mamá Cheva?

—No mijo. No puedes mostrarte nunca ante otras personas, ya que temerán de ti. Quédate aquí hasta que yo regrese.

Mamá Cheva bajó la montaña hacia el pueblo la mañana siguiente, con un lote de tortillas frescas y una bolsa llena de pociones embotelladas para vender. Tocó de puerta en puerta, vendiendo su comida y ofreciendo muestras a potenciales compradores. Cuando llegó a lo que parecía ser una vieja fábrica de tortillas abandonada con un techo rojo, un hombre mayor abrió la puerta.

"Can I help you Ma'am?" he asked.

"Good day, my name is Mama Cheva and I am selling my tortillas and home-made remedies. Would you like a sample Sir?" Mama Cheva offered him a warm tortilla to eat. He ate it heartily.

"Mmm, this is the best tortilla I have ever tasted. Would you consider making them here in my factory? I had to close it when my workers left. The only rent I would require is fresh tortillas everyday.

"That is a very generous offer, Sir," Mama Cheva replied. "I will think about it. But first I must return to my home and consult with my cook."

"Who is your cook?" he asked.

"Oh, just a family member," said Mama Cheva, averting her eyes. She did not want the landlord to know that her cook was a talking dragon that she had raised from an egg.

—¿Puedo ayudarla, señora? —Preguntó.

—Buen día, mi nombre es Mamá Cheva y estoy vendiendo mis tortillas y remedios caseros. ¿Le gustaría una muestra, señor? —Mamá Cheva le ofreció una tortilla caliente para comer. Se la comió.

—Mmm, esta es la mejor tortilla que he probado jamás. ¿Consideraría hacerlas aquí en mi fábrica? Tuve que cerrarla cuando mis empleados se fueron. La única renta que pediría sería tortillas frescas todos los días.

—Esa es una oferta muy generosa, señor —respondió Mamá Cheva—. Pensaré en ello. Pero primero, debo regresar a mi hogar y consultarlo con mi cocinero.

—¿Quién es su cocinero? —Preguntó él.

—O, solo un miembro de la familia —dijo Mamá Cheva, evitando sus ojos. No quería que el dueño supiera que su cocinero era un dragón parlante que había criado desde que estaba en el huevo.

When Mama Cheva returned to her home on the mountain, she found stacks of tortillas piled high in every part of the house. "I see that you have been at work here while I was away," she said to the dragon.

"Yes, Mama Cheva. I love making tortillas."

"Well, you have a chance to make them every day now. I have been offered space in a tortilla factory in the village below. Would you like to go with me and try it out for a while?"

"Oh yes, Mama Cheva. That would be glorious!" answered the dragon.

"You will have to stay hidden and not show yourself in the daylight. If people learn that a dragon lives there and is making the tortillas, they will surely run us out of town."

"I promise to keep out of sight."

Cuando Mamá Cheva regresó de su hogar en la montaña, encontró montones de tortillas apiladas hasta arriba en cada parte de la casa. —Veo que has estado trabajando aquí mientras yo no estaba —le dijo al dragón.

—Sí, Mamá Cheva. Amo hacer tortillas.

—Bueno, tienes la oportunidad de hacerlas todos los días ahora. Me han ofrecido un espacio en una fábrica de tortillas en el pueblo de abajo. ¿Te gustaría ir conmigo e intentarlo por un rato?

—Oh sí, Mamá Cheva. ¡Eso sería glorioso! —Respondió el dragón.

—Tendrás que permanecer ocultó y no mostrarte en la luz del sol. Si las personas se enteran de que un dragón vive allí y está haciendo las tortillas, seguramente nos correrán del pueblo.

—Prometo mantenerme fuera de vista.

*6 "Good, we shall leave tomorrow." Mama Cheva packed everything, including the freshly made tortillas and all the ingredients she would need. She locked all the windows and doors for an extended leave and instructed the dragon on how to proceed.

"You cannot be seen with me in the town. I will go first and prepare the factory. At dusk, I will light a candle and place it in a window to signal you to come."

"Very well, Mama Cheva."

The next morning, Mama Cheva left early, descending the mountain with her supplies.

She headed for the factory where she met with the landlord and made all the arrangements. At night, after cleaning and preparing the entire space, she lit a candle and placed it in a window.

In the darkness, the dragon flew down from the mountain top.

—Bien, nos iremos mañana —Mamá Cheva empacó todo, incluyendo las tortillas frescas y todos los otros ingredientes que necesitaría. Ella bloqueó todas las ventanas y puertas y le dio instrucciones al dragón sobre cómo proceder.

—No puedes ser visto conmigo en la ciudad. Yo iré primero y prepararé la fábrica. Al amanecer, voy a encender una vela y la pondré en la ventana como una señal para que vengas.

—Muy bien, Mamá Cheva.

A la mañana siguiente, Mamá Cheva se fue temprano, bajando la montaña con sus suministros.

Se dirigió a la fábrica donde se encontró con el dueño e hizo todos los arreglos. En la noche, después de limpiar y preparar todo el espacio, encendió una vela y la puso en la ventana.

En la oscuridad, el dragón voló hacia abajo desde la cima de la montaña.

He landed near the back entrance of the factory where Mama Cheva was.

"Mijo, are you ready to start cooking?" she asked.

"Of course, Mama Cheva." The dragon went to work making the tortilla dough and flavoring it just right. He helped Mama Cheva load the dough into the giant funnel and turned the machine on. The conveyor belt came to life and started churning out flattened tortillas.

"Light the fire mijo." The dragon took a deep breath and emitted a stream of yellow fire into the furnace. The tortillas were cooked as they rolled past the fire. Soon, they had dozens of properly packed and stacked tortillas on tables for the morning customers.

When the people came to buy tortillas, the dragon kept hidden behind a partition near the furnace where he was able to keep the fire going.

Aterrizó cerca de la entrada trasera de la fábrica donde se reunió con Mamá Cheva.

—Mijo, ¿estás listo para empezar a cocinar? —Preguntó ella.

—Por supuesto, Mamá Cheva —el dragón se puso a trabajar. Ayudó a Mamá Cheva a cargar la masa en el gran embudo y a encender la máquina. La cinta transportadora se encendió y comenzó a sacar tortillas aplanadas.

—Enciende el fuego, mijo —el dragón tomó una respiración profunda y emitió una mecha de fuego amarillo en el horno. Pronto, tenían docenas de tortillas correctamente empacadas y colocadas en la mesa para los clientes de la mañana.

Cuando las personas vinieron a comprar tortillas, el dragón se mantuvo escondido detrás de una partición cerca del horno donde podía mantener el fuego encendido.

The tortilla factory was a hit and villagers came in droves to buy Mama Cheva's tortillas. A steady line of customers formed every morning outside the door. Many wondered how Mama Cheva ran the entire operation all by herself. Some called her a bruja and were wary of setting foot anywhere near the factory.

A couple of rambunctious kids decided to stake out the factory to find out what her secret was. They waited until midnight before sneaking up to spy through a window. What they saw amazed them for there, before a table, stood a tall green dragon wearing an apron. He was kneading a huge ball of dough on a board.

"He must be kneading tortilla dough," said one of the boys.

"What are you talking about? It looks like a dragon!" whispered the other. "Dragons can't make tortillas."

La fábrica de tortillas fue un éxito y la gente vino en grandes números a comprar las tortillas de Mama Cheva. Una fila de clientes se formaba cada mañana fuera de la puerta. Muchos se preguntaban cómo Mama Cheva conducía toda la operación sola. Algunos la llamaban bruja y estaban recelosos de poner pie cerca de la fábrica.

Un par de chicos inquietos decidieron vigilar la fábrica para averiguar cuál era su secreto. Esperaron hasta la medianoche antes de acercarsen para espiar por la ventana. Lo que vieron los sorprendió ya que allí, ante la mesa, estaba un alto dragón verde con un mandil. Estaba amasando una gran bola de masa en una tabla.

—Debe estar amasando masa de tortillas —dijo uno de los chicos.

—¿De qué estás hablando? ¡Luce como un dragón! —Susurró el otro—. Los dragones no pueden hacer tortillas.

Then it's true that Mama Cheva really is a bruja and she's working with demons to operate the factory."

"If it's a real dragon, it will breathe fire from its mouth. Let's make it burn."

"And how do we do that?"

"Let's see how it likes to eat fire peppers. I will go and grab one from my mother's pantry." The boy ran home and shortly returned with a jalapeño pepper. He slid it into the crack of the window where it fell onto the kneading board. The boys then ran away and hid. The dragon noticed the bright red pepper and could not resist picking it up.

"Oh, a red carrot," he said popping it into his mouth. Suddenly he turned bright red. "Yeeeooow!" he yelled, shooting flames of fire from his mouth and nostrils. The dragon set fires wherever he turned his head. This awoke Mama Cheva, who was sleeping on a cot in a corner.

—Entonces es cierto que Mamá Cheva es una bruja y está trabajando con demonios para hacer funcionar la fábrica.

—Si es un dragón de verdad, soplará fuego por su boca. Hagamos que lo haga.

—¿Y cómo hacemos eso?

—Vamos a ver si le gusta comer chiles picantes. Iré y tomaré uno de la despensa de mi mamá —el chico corrió a casa y pronto regresó con un chile jalapeño. Lo deslizó por la grieta de la ventana donde cayó a la tabla de amasar. Los chicos corrieron y se escondieron. El dragón notó el chile rojo brillante y no pudo resistir tomarlo.

—Oh, una zanahoria roja —dijo metiéndoselo a la boca. De pronto, se tornó de un rojo intenso—. ¡Aaaaeey! —Gritó, disparando llamas de fuego por su boca y nariz. El dragón incendió donde quiera que se volteaba la cabeza. Esto despertó a Mamá Cheva, quien estaba durmiendo en un catre en una esquina.

"Mijo, what is happening?" She rose and tried to quench the flames which had already spread throughout the kitchen area. The dragon's fire then became grey smoke which streamed out of its nostrils like billowing clouds.

"We have to get out of here mijo." Mama Cheva said between coughs. "The fire is spreading." Soon, she was on her knees, overcome by the smoke and flames.

"Mama Cheva, no!" The dragon dropped everything and rushed to the old woman's side, protecting her with his wings. He bowed his head and remembered the words she had spoken to him as a young hatchling. *Near ashes you were born and to ashes you are bound.*

"Ashes are my destiny, not yours, Mama Cheva." He grabbed her in his arms and extended his wings out as if to fly. Taking a mighty leap, he sprung into the air, crashing up through the roof.

—Mijo, ¿qué pasa? —Se levantó e intentó apagar las llamas que ya se habían extendido por toda el área de la cocina. El fuego del dragón entonces se convirtió en humo gris que salía de sus fosas nasales como nubes ondulantes.

—Tenemos que salir de aquí, Mijo —Mamá Cheva dijo entre toses—. El fuego se está extendiendo —pronto, estaba arrodillada, abrumada por el humo y el fuego.

—¡Mamá Cheva, no! —El dragón dejó todo y corrió hacia al lado de la anciana, protegiéndola con sus alas. Él bajó su cabeza y entonces recordó las palabras que ella le había dicho cuando era una joven cría. *De la ceniza vienes y a las cenizas estás atado.*

—La ceniza es mi destino, no el tuyo, Mamá Cheva —la tomó en sus brazos y extendió sus alas para volar. Tomando un gran salto, se disparó hacia el aire, atravesando el techo.

Up through burning wood and smoking tin he soared. Into the night sky he rose, like an avenging angel illuminated by the flames below.

The two boys who had been watching a distance away, saw only a giant bird-shaped shadow flying off toward the mountain beyond.

When morning came, not a trace of the factory remained, except for a few charred wooden beams and melted machinery.

"What could have happened here?" wondered the villagers.

"And where is the old woman?" asked the landlord.

"A dragon took her away. You see, she really was a bruja," said one the boys.

"It's true, we saw it with our own eyes," said the second.

"Stop telling lies, boys, or I will have you both punished," the landlord replied.

Hacia arriba voló, a través de la madera en llamas y el techo de lámina humeante. En el cielo nocturno se alzó, como un ángel vengador iluminado por las llamas.

Los dos chicos que habían estado observando desde la distancia, vieron solo una sombra de un ave gigante volando hacia la montaña.

Cuando llegó la mañana, no quedaba rastro de la fábrica, excepto por un par de vigas de madera carbonizadas y maquinaria derretida.

—¿Qué pudo haber pasado aquí? —Se preguntaron los poblanos.

—¿Y dónde está la anciana? —Preguntó el dueño.

—Un dragón se la llevó. Ven, en serio era una bruja —dijo uno de los chicos.

—Es cierto, lo vimos con nuestros propios ojos —dijo el otro.

—Dejen de decir mentiras, muchachos, o los voy a castigar—respondió el dueño.

Meanwhile, up on the mountain top, the dragon had arrived with Mama Cheva in his arms. He put her to bed in the adobe house and made her herbal teas and poultices to soothe her burns.

"Thank you mijo. You saved my life."

"I'm sorry I burnt down the factory Mama Cheva," confessed the dragon.

"Don't worry about it mijo, we still have each other. And besides, it was too much work running a tortilla factory. I think I will stay here in my mountain hide-away and live out my days."

"Can I keep making tortillas here?"

"Of course, you can. I will teach you many more recipes too, like empanadas, tacos, calabacitas, tamales and anything else you can make with tortillas and corn flour dough."

"Oh, thank you, Mama Cheva."

Mientras tanto, en la cima de la montaña, el dragón llegaba con Mamá Cheva en sus brazos. La puso en la cama en la casa de adobe y le hizo tés herbales y un emplasto para aliviar sus quemaduras.

—Gracias, Mijo. Salvaste mi vida.

—Siento haber quemado la fábrica, Mamá Cheva —confesó el dragón.

—No te preocupes por eso, mijo, todavía nos tenemos el uno al otro. Y además, era mucho trabajo conducir una fábrica de tortillas. Creo que me quedaré escondida aquí en la montaña donde viviré el resto de mis días.

—¿Puedo seguir haciendo tortillas aquí?

—Por supuesto que puedes. Te enseñaré muchas más recetas también, como empanadas, tacos, calabacitas, tamales y todo lo demás que puedas hacer con tortillas y harina de maíz.

—O, gracias, Mamá Cheva.

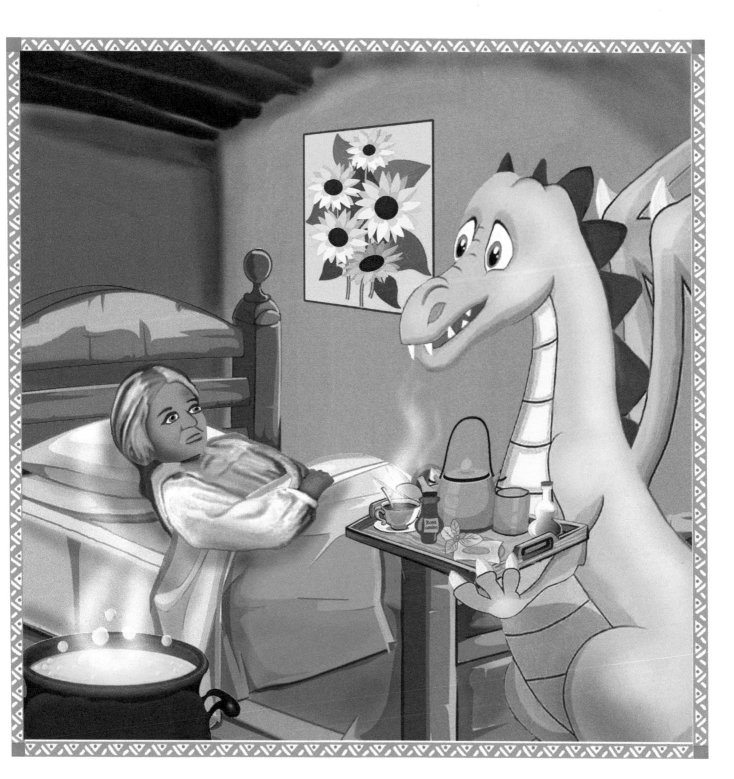

And so, Mama Cheva recovered and taught the dragon how to cook many tasty dishes. She taught the dragon of the healing plants in the garden and how to make healing teas, tinctures, and tonics. All of these recipes she compiled and stored in a notebook she titled: *Mama Cheva's Recipes and Remedies*.

In time, the dragon cherished this notebook more than anything else after Mama Cheva passed away. He took it with him when he retreated to his ancestral cave where his egg was found. Every spring, he plowed Mama Cheva's old fields and planted corn kernels to make his tortillas.

To this day, you can still see grey clouds billowing up from his mountain top home where he sits in front of the fire pit making tortillas. And down below, the villagers think the fire mountain has come back to life and stay far away from its summit.

Y así, Mamá Cheva se recuperó y enseñó al dragón a cocinar muchos platos deliciosos. Le enseñó al dragón las plantas curativas del jardín y como hacer tés medicinales, tinturas y tónicos. Todas estas recetas la juntó y guardó en un cuaderno titulado: *Recetas y Remedios de Mamá Cheva*.

Con el tiempo, el dragón apreció este cuaderno más que nada después de que Mamá Cheva falleció. Se lo llevó con él cuando se retiró a su cueva ancestral, donde su huevo fue encontrado. Cada primavera, araba los viejos campos de Mamá Cheva y plantaba granos de maíz para hacer sus tortillas.

Hasta este día, aún puedes ver nubes grises ondeando desde su hogar en la cima de la montaña donde se sienta frente a la fogata haciendo tortillas. Y abajo, el pueblo pensaba que el volcán se volvió a la vida y se mantenían muy lejos de la cima.

Mama Cheva's Pico de Gallo or Salsa Fresca Recipe

Ingredient List

- 3 large tomatoes
- 1 medium sized onion small diced
- 1/4 bunch of chopped fresh cilantro
- Juice of one lime
- 1 garlic clove, minced
- 1 tsp of salt and pepper to taste
- 1 pinch of ground cumin
- 2 jalapeños diced

Directions

1. Take your tomatoes and cut in 1/2.
2. Scoop out the seeds and dice.
3. Add in onion, cilantro, lime juice, garlic, salt jalapeños and cumin.
4. Mix well and put in fridge for one hour before eating for best results.

CPSIA information can be obtained
at www.ICGtesting.com
Printed in the USA
BVHW020912020421
603984BV00002B/21

9 781736 330623